Tinta,

el hada

índigo

Un agradecimiento muy
especial a
Narinder Dhami

Originally published in English as
Rainbow Magic: Inky the Indigo Fairy.

Translated by María Cristina Chang

ISBN 978-0-545-34345-9

12 11 10 9 8 7 6 5 4 3 2 1   11 12 13 14 15 16/0

Printed in the U.S.A.   40

First Spanish printing, September 2011

Tinta,

el hada
índigo

por Daisy Meadows
ilustrado por Georgie Ripper

SCHOLASTIC INC.
New York   Toronto   London   Auckland
Sydney   Mexico City   New Delhi   Hong Kong

Que sople el viento, que haya hielo.
Creo una tormenta y no tengo miedo.
A las hadas del arco iris las he mandado
a las siete esquinas del mundo humano.

Miro el reino y yo solo me río.
porque está gris y siempre habrá frío.
En todas sus esquinas y rincones,
el hielo quemará los corazones.

Rubí, Ámbar, Azafrán, Hiedra y
Celeste están fuera de peligro. Ahora
Raquel y Cristina deberán encontrar a
Tinta, el hada índigo.

Contenido

El comienzo de un cuento de hadas

—Lluvia, lluvia, para de caer —dijo
Raquel Walker, y dio un suspiro—, que
salga el sol para correr.

Ella y su amiga Cristina Tate miraban
a través de la ventana del ático. Gotas de
lluvia chocaban contra el vidrio y el cielo
estaba lleno de nubes grises.

—¿No te parece un día horrible? —dijo Cristina—. Al menos este cuarto es cálido y acogedor.

Cristina miró alrededor de la pequeña habitación. Apenas había espacio para una cama de bronce que cubría un edredón de parches, un cómodo sillón y un viejo estante de libros.

—Ya sabes cómo es el clima en Lluvia Mágica —señaló Raquel—. Cambia a cada rato. A lo mejor sale el sol en cualquier momento y empieza a hacer calor.

Las chicas habían llegado a la isla
Lluvia Mágica a pasar una semana de
vacaciones. La familia Walker estaba
hospedada en la cabaña La sirena
mientras que la familia Tate estaba
hospedada en la cabaña El delfín. Las
cabañas estaban una al lado de la otra.

Cristina frunció el ceño.

—Sí, pero ¿qué pasará con Tinta, el
hada índigo? —preguntó Cristina—.
Tenemos que encontrarla hoy mismo.

Raquel y Cristina compartían un gran
secreto. Habían prometido encontrar
a las siete hadas del arco iris, que eran
quienes le daban color al Reino de las
Hadas. El malvado Jack Escarcha las
había expulsado del Reino y ahora se
encontraban en la isla Lluvia Mágica. El
Reino de las Hadas continuará siendo

un lugar frío y gris hasta que las hadas
regresen a él.

Raquel pensó en Rubí, Ámbar,
Azafrán, Hiedra y Celeste, que ya estaban
a salvo en la olla al final del arco iris.
Ahora, Raquel y Cristina tenían que
encontrar a las dos hadas que faltaban:
Tinta, el hada índigo, y Violeta, el hada
violeta. Pero ¿cómo las encontrarían si
estaban atrapadas en la habitación?

—¿Recuerdas lo que dijo la Reina de
las Hadas? —preguntó Raquel.

—Dijo que la magia
llegaría a nosotras
—respondió Cristina,
que ya comenzaba a
preocuparse—. Quizás
la lluvia la creó Jack
Escarcha con su magia.

Quizás está tratando de evitar que encontremos a Tinta —añadió.

—Ay, no —dijo Raquel—. Espero que pronto deje de llover. Pero, ¿qué vamos a hacer mientras tanto?

Cristina pensó por un momento. Luego, se dirigió al estante lleno de polvo y de libros viejos. Eligió un libro tan grande que tuvo que sostenerlo con las dos manos.

—*El gran libro de cuentos de hadas* —leyó Raquel en voz alta.

—Si no podemos encontrar a las hadas, al menos podremos leer sobre ellas —dijo Cristina sonriente.

Las chicas se sentaron en la cama y se
dispusieron a leer. Cristina estaba a punto de
abrir el libro cuando Raquel señaló algo.

—¡Cristina, mira la portada! —dijo—.
Es de un morado tan intenso que parece...

—Índigo —susurró Cristina—. ¿Crees
que Tinta pueda estar atrapada en el libro?

—Vamos a ver —dijo Raquel—.
Apúrate, Cristina, ábrelo.

Pero Cristina no se movía.

—Raquel —dijo la chica temblando—,
está brillando.

Raquel echó un vistazo. Su amiga tenía
razón. El libro brillaba con una luz morada
tan profunda que parecía azul.

Cristina abrió el libro. La tinta en las páginas era de un índigo tan brillante, que por un instante pensó que Tinta saldría volando de las páginas, pero no había rastro de ella. En la primera página había un dibujo de un soldado de madera. Arriba del dibujo decía: *El Cascanueces*.

—Conozco este cuento —dijo Raquel—. En Navidad fui a ver un ballet sobre esta historia.

—¿De qué se trata? —preguntó Cristina.

—A una chica llamada Clara le regalan un soldado de madera en Navidad. Era un cascanueces —explicó Raquel—. El

soldado cobra vida y se lleva a Clara al
Mundo de Ensueño.

Las chicas miraron los vivos colores
de un dibujo de un árbol de Navidad.
Una niñita estaba dormida junto al árbol
abrazando a un soldado de madera.

En la página siguiente, había un dibujo
de un bosque donde caían muchos copos
de nieve.

—¿Verdad que los dibujos son espectaculares? —dijo Cristina—. La nieve parece real.

Raquel frunció el ceño. Por un momento pensó que la nieve se movía. Con mucho cuidado, tocó la página. Estaba fría y húmeda.

—Cristina —susurró Raquel—. ¡Es de verdad!

Levantó la mano y vio que tenía copos de nieve entre los dedos.

Cristina volvió a mirar el libro. En ese instante, la nieve empezó a caer de las páginas del libro. Al principio, los copos de nieve se movían suavemente,

pero después lo hacían más rápido.
Muy pronto, la nieve se convirtió en un
remolino que alzó a Raquel y a Cristina
en el aire.

—¿Qué está pasando? —gritó Raquel.

Cristina agarró la mano de Raquel y la
apretó fuertemente.

—¡Es magia! —contestó.

El Reino de
los Dulces

De repente, el remolino de nieve paró
y Raquel y Cristina se encontraron en
un bosque con sus mochilas a sus pies.
Las rodeaban grandes árboles y el suelo
estaba cubierto de una nieve muy blanca
y crujiente. Definitivamente, ya no
estaban en la habitación de Raquel.

Después de unos minutos, Raquel reconoció el lugar.

—Cristina, este es el bosque que aparece en el libro —dijo—. ¡Estamos dentro del cuento!

Cristina parecía asustada.

—¿Crees que Jack Escarcha nos trajo hasta aquí? —preguntó—. ¿O quizás sus duendes?

Los duendes de Jack Escarcha hacían todo lo posible para evitar que Raquel y Cristina encontraran a las hadas del arco iris.

—No lo sé —respondió Raquel.

La chica frunció el ceño. Algo de la nieve que las rodeaba no le parecía normal. Se agachó y la tocó suavemente.

—Esto no es nieve —dijo sonriente—. ¡Es azúcar en polvo!

—¿Estás segura? —dijo Cristina, y tomó un poco para probarla.

El polvillo era dulce y frío.

—A lo mejor esto no lo hizo Jack Escarcha con su magia —dijo Raquel.

—¿Qué es eso? —preguntó Cristina señalando a lo lejos.

Raquel vio un destello rosado y dorado entre los árboles.

—Vamos a ver qué es —dijo.

Las chicas tomaron sus mochilas y se dirigieron hacia el destello. Era difícil caminar a través del azúcar en polvo y, en poco tiempo, sus tenis estaban cubiertos de nevazúcar.

¡Crac!

Raquel dio un salto del susto al escuchar el sonido.

—Discúlpame —dijo Cristina—. Pisé una rama.

—Espera —susurró Raquel—. Escucho voces.

—¿Crees que podrían ser los duendes? —susurró Cristina angustiada.

Raquel prestó atención. Las voces se escuchaban cada vez mejor.

—No, esas voces son muy dulces para ser de duendes —dijo aliviada.

Raquel y Cristina caminaron de prisa por el bosque. Cuando salieron de entre los árboles, vieron que el destello provenía de un hermoso arco dorado y rosado.

—¡Mira, Cristina! —dijo Raquel—. ¡Está hecho de golosinas!

Cristina observaba maravillada el arco lleno de malvaviscos rosados y caramelo dorado.

Un momento después, volvieron a escuchar las voces y se voltearon para ver de dónde venían. Dos chicas vestidas con abrigos blancos conversaban entre

ellas mientras echaban azúcar en polvo en cubos de metal. Tenían las mejillas rosadas y las orejas pequeñas y puntiagudas, y estaban tan ocupadas que no se dieron cuenta de que las miraban.

—Creo que son elfos —susurró Cristina—. Pero son de nuestro tamaño.

¿O seremos nosotras de su tamaño? ¿Habremos cambiado otra vez?

—Pero esta vez no tenemos alas —susurró Raquel.

De repente, uno de los elfos vio a las chicas y se sorprendió.

—¡Hola! —dijo—. ¿De dónde vienen?

—Yo soy Raquel y ella es Cristina —dijo Raquel—. Llegamos aquí a través del bosque.

—¿En dónde estamos? —preguntó Cristina.

—Esta es la entrada al Reino de los Dulces —dijo el elfo—. Me llamo Galletita y ella es mi hermana, Barquilla.

—Somos fabricantes de helados
—agregó Barquilla—. ¿Qué hacen aquí?

—Estamos buscando a Tinta, el hada
índigo —respondió Cristina—. ¿La han
visto?

Los elfos negaron con la cabeza.

—Hemos escuchado sobre las hadas del
arco iris —dijo Galletita—, pero el Reino
de las Hadas está muy lejos, más allá del
océano Limonada.

—Quizás deberían pedirle ayuda al
Hada de los Dulces —dijo Barquilla—.
Es muy inteligente y sabrá qué hacer para
encontrarla. Vive al otro lado de la aldea.

—¿Nos pueden llevar a verla?
—preguntó Raquel entusiasmada.

Los elfos asintieron.

—Sígannos —dijeron.

Raquel y Cristina cruzaron el arco de
golosinas. Del otro lado, el sol brillaba

 en un cielo azul
resplandeciente. Flores
de crema batida crecían
bajo árboles de chocolate
y casas adornadas con malvaviscos
rosados y blancos formaban hileras en las
calles pavimentadas con gominolas.

—¡Increíble! —dijo Cristina sonriente—.
Es como estar en una tienda de golosinas
gigante.

—Y todo parece delicioso —dijo
Raquel.

Se veían elfos por todas partes. Algunos
cargaban cubos brillantes parecidos a los

de las fabricantes de helados mientras otros
llevaban pequeños martillos plateados.

También había unos muñequitos de
jengibre muy elegantes con corbatines
brillantes y botones de chocolate, y una fila
de soldaditos de madera que marchaban
por la calle con sus relucientes botas.
Raquel notó que un ratón de
azúcar rosado correteaba
entre los zapatos de
los soldados. Cristina y
Raquel se miraron. ¡Qué
lugar tan divertido!

Los dos elfos seguían caminando por la calle junto a Raquel y Cristina cuando un muñeco de jengibre salió apresurado de una de las casas y tropezó con Barquilla.

—Hola, Botones —dijo Galletita—. ¿Estás apurado?

—¿Qué te sucede? —preguntó Barquilla—. Pareces molesto.

El muñeco de jengibre levantó algo que tenía en las manos.

—Miren, este era mi mejor corbatín —dijo—. Era rojo cuando lo tendí para secarlo, ¡y ahora es de este color!

Raquel y Cristina no podían creerlo. El corbatín era de un azul intenso.

—¡Tinta! —gritaron las chicas.

Las fabricantes de helados parecían
confundidas.

—Creo que esto significa que Tinta, el
hada índigo, está por aquí cerca —explicó
Raquel.

—Será mejor que las ayudemos a
encontrarla antes de que siga causando
más problemas —dijo Barquilla.

Pero un minuto después un pequeño elfo
corrió hacia ellas, riendo y cubriéndose la
boca con una mano.

—¡Bolita! —gritaron los elfos.

Galletita se dirigió a Raquel y a Cristina.

—Es nuestro hermanito —explicó—.
Bolita, ¿qué pasa?

Bolita se quitó la mano de la boca, pero
no paraba de reír. Raquel y Cristina no
podían creer lo que veían, la boca del
pequeño elfo estaba manchada de índigo.

—¿Qué sucedió? —preguntó Barquilla
sorprendida.

—Bebí un poco de limonada de la
fuente —dijo Bolita entre risas—. La
limonada cambió de color y ahora es de
un color azul intenso y da cosquillas en la
lengua.

—Esto se parece a la magia de las
hadas del arco iris —dijo Cristina.

—¿Dónde está la fuente de limonada?
—preguntó Raquel.

—En la plaza del pueblo —respondió
Barquilla—. Justo al doblar la esquina.

—Gracias por ayudarnos —dijo
Cristina.

Las chicas se tomaron de la mano y
salieron corriendo.

Apenas doblaron la esquina, se
detuvieron. Había una hermosa fuente
en medio de la plaza. Un líquido azul
intenso salía de la fuente con forma de

delfín. Elfos, soldaditos y muñecos de jengibre la rodeaban. Todos hablaban al mismo tiempo y parecían muy enojados. Un payaso en una caja sorpresa se balanceaba de un lado a otro malhumorado.

Justo en ese momento una nube color índigo de polvillo de hada apareció en medio de la multitud. Cuando el polvo cayó al suelo, se convirtió en manchas de tinta con olor a moras.

Raquel y Cristina se miraron. Ese polvo solo podía significar una cosa: ¡habían encontrado a otra hada del arco iris!

¡Cuidado!

—¡Tinta! —gritó Raquel abriéndose paso entre los presentes—. ¿Eres tú?

—¿Quién llama? —gritó una vocecita.

Tinta estaba parada al lado de la fuente. Su cabello era negro azulado y

sus ojos de un azul muy oscuro. Llevaba
puesto un pantalón índigo con una
chaqueta a juego que tenía parches
brillantes. Su varita era de color índigo
con la punta plateada.

El hada miró sorprendida a Raquel y a
Cristina.

—¿Quiénes son ustedes? —preguntó—.
¿Y cómo saben mi nombre?

—Yo soy Cristina y ella es Raquel —explicó Cristina—. Venimos a llevarte junto a las otras hadas del arco iris.

—Ya hemos encontrado a cinco de tus hermanas —agregó Raquel—. Nosotras las ayudaremos a regresar al Reino de las Hadas.

—¡Qué gran noticia! —gritó Tinta—. He estado muy preocupada por mis hermanas.

—¿Cómo llegaste al Reino de los Dulces? —preguntó Cristina.

—El viento me arrastró hacia la chimenea de la cabaña La sirena y de

ahí al libro *El Cascanueces* —respondió
Tinta—. Y desde entonces he estado en
el Reino de los Dulces. Pero no puedo
regresar al Reino de las Hadas y romper
el hechizo de Jack Escarcha sin
mis hermanas. Primero tengo
que volver a la isla Lluvia
Mágica.

Antes de que Raquel y
Cristina pudieran decir una
palabra, la multitud empezó a protestar.

—¡Miren lo que le hizo a la fuente de
limonada! —refunfuñó un elfo.

—No fue mi intención —dijo el hada
soltando una risita—. La limonada se veía
tan deliciosa que decidí probarla, y fue
entonces cuando se puso de color índigo.

—¿Y cómo explicas lo de mi corbatín?
—preguntó bruscamente Botones, que

había seguido a Cristina y a Raquel hasta la fuente.

—Estaba muy cansada después de caminar por el bosque —explicó Tinta—. Así que usé tu corbatín de almohada mientras tomaba una siesta.

Los soldaditos, los elfos y los muñecos de jengibre siguieron refunfuñando. Rápidamente, Raquel salió a defender a Tinta.

—Esperen —dijo—. ¿Han escuchado
sobre las hadas del arco iris y el hechizo
de Jack Escarcha?

Todos hicieron silencio y Raquel
relató la historia. Cuando terminó, nadie
parecía molesto.

—Me siento muy mal por todos
los problemas que he causado —dijo

Tinta—. ¿Podrían decirnos cómo regresar
a la isla Lluvia Mágica?

—El Hada de los Dulces las puede
ayudar —dijo el payaso que se
balanceaba en la caja sorpresa—. Su casa
está justo al pasar el campo de gominolas.

—Pues allá iremos —dijo Cristina.

—¡Vamos, de prisa! —gritó Tinta.

El hada no perdió ni un minuto. Tomó a Raquel y a Cristina de las manos y partió.

—¡Buena suerte! —gritó a todos.

Raquel y Cristina caminaban hacia el campo de gominolas mientras Tinta revoloteaba feliz delante de ellas. Justo afuera del pueblo había una piedra enorme de caramelo. ¡Era tan grande como una de las casas de malvaviscos! Algunos elfos golpeaban la piedra con sus pequeños martillos para romperla en pedazos mientras otros recogían los pedazos y los echaban en cubos plateados.

Cristina le dio un codazo a Raquel.

—Parece un trabajo duro —dijo—. No creo que estén recolectando mucho caramelo.

Raquel echó un vistazo al cubo de
un elfo que pasó justo frente a ellas. Su
amiga tenía razón. Solo había unos pocos
trocitos de caramelo.

—¿Qué estará pasando con el
caramelo? —preguntó Tinta.

El elfo que llevaba el cubo la escuchó
por casualidad.

—Hoy el caramelo está muy duro
—se quejó el elfo—. Es como si estuviera
congelado.

—¡Congelado! —dijo Cristina
preocupada—. ¿Será que los duendes de
Jack Escarcha andan cerca?

Las chicas sabían que cuando los
duendes las rondaban, todo a su alrededor
se congelaba y el clima se tornaba muy
frío.

Tinta parecía asustada.

—Espero que no —dijo.

De repente, todos saltaron del susto al escuchar un fuerte y estrepitoso sonido.

—¡Cuidado! —gritó alguien.

Un enorme barril de madera bajaba rodando por la calle, directo hacia las chicas. Detrás del barril corrían dos duendes con una sonrisa malvada en sus rostros.

¡Detengan a esos duendes!

—¡Te atraparemos, Tinta! —gritó uno de los duendes.

Por un instante, nadie se movió. Luego, Tinta reaccionó y empujó a Raquel y a Cristina.

—¡Apúrense! —gritó el hada—. ¡Quítense del camino!

Las chicas se quitaron justo a tiempo.
Los elfos soltaron los martillos y los
cubos y también corrieron. Estaban tan
asustados que se empujaban unos a otros.

¡Pum!

El barril chocó contra la montaña de
caramelo y se hizo pedazos. Una nube de
cacao en polvo cubrió a todos.

—¡Tinta! ¡Cristina! —gritaba Raquel
mientras tosía e intentaba salir de la
nube—. ¿Están bien?

—Creo que sí —dijo Cristina a punto
de estornudar—. ¡Achuuu!

—¡AUXILIO! —gritó Tinta asustada.

Cristina podía escuchar la voz del hada,
pero no lograba verla.

—¡Auxilio! —gritó nuevamente
Tinta—. ¡Los duendes me atraparon!

Su voz se escuchaba cada vez más lejos.

—¡Rápido, Raquel! —dijo Cristina—.
¿Tienes nuestras bolsas mágicas?

Raquel no paraba de toser mientras
buscaba en su mochila. Titania, la Reina
de las Hadas, les había dado unas bolsas
con objetos mágicos que las ayudarían a
rescatar a las hadas.

Adentro de la mochila, una de las bolsas
no dejaba de brillar.
Raquel metió
la mano y sacó
un abanico
de papel. Sin
saber para
qué serviría,
lo abrió. Era tan

hermoso como un arco iris. Tenía franjas rojas, anaranjadas, amarillas, verdes, azules y violetas.

Raquel pensó por un instante. Luego, comenzó a agitar el abanico hacia la nube de cacao en polvo.

¡Zum!

El aire que produjo el abanico dispersó la nube de cacao.

—¡Increíble! Este abanico es maravilloso
—dijo Raquel.

—¡Mira! —gritó Cristina—. ¡Van por
allá!

Los duendes habían atado a Tinta con
una barrita de fresa y la arrastraban hacia
el campo de gominolas.

—¡Tenemos que rescatarla! —dijo
Raquel guardando el abanico en su
bolsillo—. ¡Vamos, Cristina!

—Yo buscaré al Hada de los Dulces
—dijo uno de los elfos, y se fue apresurado.

Raquel y Cristina corrieron detrás de Tinta. Los duendes les llevaban mucha ventaja, pero Tinta se retorcía tanto que les hacía perder mucho tiempo.

El sendero que seguían cruzaba el campo de gominolas, que estaba lleno de grandes plantas verdes cubiertas de gominolas rosadas, blancas, azules y

marrones. Los elfos
que trabajaban en
el campo recogían
las gominolas y las
echaban en unas cestas
grandes.

De repente, Raquel notó que los
duendes miraban golosos las gominolas
del campo. Uno de ellos se paró en
seco, se inclinó sobre una cerca y agarró
una gominola grande de la planta más
cercana. El otro duende hizo lo mismo.

—¡Qué rico! —dijo el primer duende, y
se metió la gominola en la boca.

—¡Son muy golosos! —dijo Raquel
jadeando.

—Sí, y eso me ha dado una idea
que nos servirá para engañarlos —dijo
Cristina, y apresuró el paso.

Los elfos que trabajaban en el campo les gritaban a los duendes, pero estos no les hacían caso. Seguían trangándose las gominolas sin parar. Las agarraban con una mano mientras sostenían a Tinta con la otra.

—Tengo una idea —murmuró Raquel a Cristina.

Raquel vio que a un lado del camino había varias cestas llenas de gominolas. Corrió hasta ellas y agarró una, luego se la mostró a los duendes.

—Miren lo que tengo aquí —gritó—. ¡Una cesta llena de gominolas!

El castigo perfecto

Los duendes miraron la
cesta. Tinta sonrió y les guiñó un
ojo a Raquel y a Cristina. Sabía lo
que las chicas estaban planeando.

—Esas gominolas se ven deliciosas
—les dijo Tinta a los duendes—. Me
encantaría saborear una.

—¡Cállate! —gritó el duende de la nariz
más grande, y miró a su compañero—.
Agarra al hada mientras yo voy por las
gominolas.

—¡No! —gritó el duende—. Seguro te
las vas a comer todas. Agarra tú al hada y
yo voy a buscar las gominolas.

—¡No! —gruñó el primer duende—.
Entonces tú te las vas a comer todas.

Los duendes se miraron con odio,
soltaron a Tinta y salieron corriendo
hacia Raquel.

La chica lanzó varias
gominolas al suelo
y se alejó.
Los duendes
se agacharon
para recogerlas.
Cuando se pusieron de

pie, Raquel lanzó otras, pero esta vez bien lejos de Tinta. Los golosos duendes no pudieron resistir la tentación.

Mientras los duendes estaban ocupados llenándose la boca con los dulces, Cristina corrió a desatar a Tinta.

—¿Estás bien? —preguntó Cristina.

El hada asintió mientras movía sus pies, que ahora estaban libres.

—¡Gracias! —dijo Tinta.

Raquel puso la cesta de gominolas en el suelo y corrió hacia Cristina y Tinta. Los duendes se abalanzaron sobre la cesta y comenzaron a pelearse por los dulces.

—Vámonos de aquí antes de que se
den cuenta de que Tinta está libre —dijo
Raquel.

Pero antes de que echaran a correr,
escucharon un suave aleteo. Raquel alzó
la mirada y vio a una gran
mariposa de alas
rosadas y doradas.
Encima de ella iba
un hada con el
cabello rojo muy
largo.

La mariposa
aterrizó sua-
vemente en el
suelo y el hada
se bajó sonriente.

Llevaba un largo vestido verde y dorado y una corona.

—Hola. Soy el Hada de los Dulces —dijo.

El hada miró molesta a los duendes que estaban sentados al lado de la cesta vacía.

—¿Qué hacen en el Reino de los Dulces? —preguntó.

Los duendes no respondieron. Estaban muy ocupados sobándose la panza.

—¡Aaay! —se quejó el duende de la nariz más grande—. Me duele la barriguita.

—A mí también —lloriqueó el otro—. No me siento bien.

—Comieron demasiadas gominolas —dijo Tinta sonriéndoles a Raquel y a Cristina.

El Hada de los Dulces estaba muy enojada.

—Los voy a castigar por haberse robado nuestras deliciosas golosinas —les dijo a los duendes.

—¿Por qué no los pones a recoger gominolas? —sugirió Tinta.

—¡Qué buena idea! —dijo el Hada de los Dulces.

—Pero eso no parece un castigo muy fuerte —le susurró Cristina a Raquel.

—¿Ah, no? Mira la cara de los duendes —susurró Raquel.

Los duendes estaban horrorizados con la idea de tocar otra gominola. Trataron de levantarse para salir corriendo, pero el Hada de los Dulces dio una orden y varios elfos aparecieron. Los elfos se llevaron a los duendes hacia el campo más cercano y les entregaron unas cestas vacías. Con mala cara,

54

los duendes comenzaron a recolectar gominolas.

—Lo tienen bien merecido —dijo Tinta sonriente, aunque todavía se veía preocupada—. Ahora solo falta que encuentre a mis hermanas.

—¿Podrías ayudarnos a volver a la isla Lluvia Mágica? —le preguntó Raquel al Hada de los Dulces—. Podríamos usar polvillo de hada para regresar volando, pero no conocemos el camino.

El Hada de los Dulces asintió.

—Las enviaremos de regreso en un globo —dijo.

A continuación, el hada movió su varita y tocó la cesta de gominolas vacía. Raquel y Cristina miraron asombradas cómo la cesta crecía 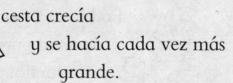 y se hacía cada vez más grande.

—Pero, ¿y el globo? —preguntó Raquel.

El Hada de los Dulces señaló un árbol enorme cubierto de flores rosadas.

—¡Qué flores tan hermosas! —dijo Cristina mirando el árbol. Luego, sonrió—. ¡No son flores, son gomas de mascar!

—¿Y qué haremos con ellas? —preguntó Raquel confundida.

—De eso me encargo yo —dijo Tinta
con una mirada traviesa.

El hada del arco iris arrancó una de las gomas de mascar del árbol, se la metió en la boca y comenzó a masticar.

Luego, sopló con mucha fuerza hasta hacer un globo de un azul intenso. El globo crecía y crecía cada vez más. Raquel y Cristina nunca habían visto un globo tan grande.

Tinta se lo sacó de la boca y le hizo un nudo para que no se saliera el aire.

—El globo perfecto —dijo Tinta—. Ahora estamos listas para marcharnos.

Raquel y Cristina sonrieron. ¡Qué manera tan fantástica de regresar a la isla Lluvia Mágica!

Los elfos ayudaron a amarrar el globo a la cesta. Luego, Raquel, Cristina y Tinta se subieron a ella.

El Hada de los Dulces movió su varita y cubrió la cesta con chispitas doradas.

—El globo las llevará de regreso a la isla Lluvia Mágica —dijo el Hada de los Dulces—. ¡Adiós y buena suerte!

—¡Gracias! —gritaron Raquel y Tinta.

Pero Cristina miraba alrededor preocupada.

—No hay brisa —dijo Cristina—. ¿Cómo nos vamos a elevar?

El globo de goma de mascar

Raquel miró las hojas del árbol de goma de mascar. Cristina tenía razón, las hojas no se movían.

El Hada de los Dulces sonrió.

—Raquel, ¿no recuerdas lo que tienes en tu bolsillo? —dijo.

—¡Claro! —dijo Raquel—. ¡El abanico mágico!

La chica se lo sacó del bolsillo y lo abrió.
Luego, empezó a echarle aire al globo.

¡Zas!

Una ráfaga de viento elevó el globo
hacia el cielo.

—¡Adiós! —gritó
Cristina, despidiéndose
del Hada de los
Dulces y de los
elfos.

—Gracias por
ayudarnos —dijo
Tinta, y luego agregó
con una risita—, siento
mucho haber causado
tantos problemas.

El globo se movía de
un lado a otro mientras se alzaba
suavemente. Al llegar a lo alto, el viento
se hizo más fuerte, así que Raquel

guardó el abanico. Un poco después,
grandes nubes esponjosas comenzaron a
arremolinarse alrededor del globo.

—Pronto llegaremos —dijo Raquel.

El viento bramaba alrededor del globo,
meciendo la cesta brúscamente de un
lado a otro. Raquel, Cristina y Tinta se
agarraron de las manos fuertemente y
esperaron con los ojos cerrados.

De repente, el viento se calmó, el globo dejó de tambalearse y el aire se sintió cálido.

Cristina abrió los ojos.

—¡Estamos en casa! —dijo emocionada.

Estaban de regreso en la habitación
de Raquel, en el ático de la cabaña
La sirena. El globo y la cesta habían
desaparecido y el libro de
cuentos de hadas
estaba en el
suelo, abierto
en la página
del cuento *El
Cascanueces.*

—Pero, ¿dónde
está Tinta?
—preguntó Raquel.

—¡Aquí estoy!
—respondió una vocecita.

El hada índigo estaba en el bolsillo
de Raquel. Enseguida salió y empezó a
volar con sus alitas que brillaban como
un arco iris y que bañaban la habitación

con polvillo de hada y gotas de tinta.
Cuando las gotas reventaban, el aire se
impregnaba con el olor de las moras.

Cristina recogió el libro. Pasó las
páginas hasta que encontró el dibujo de El
Reino de los Dulces.

—Es una lástima que no pudiéramos
probar ninguna de esas deliciosas
golosinas —dijo Cristina.

Al decir eso, una pequeña nube de
azúcar en polvo salió del libro junto a una
lluvia de gominolas de diferentes colores.

—¡Debe ser un regalo del Hada de los Dulces! —dijo Tinta sonriente.

Raquel y Cristina probaron las gominolas. Eran pequeñas, pero ¡muy deliciosas!

—¡Qué rico! —dijo Tinta comiéndose una—. ¿Podemos llevarles algunas a mis hermanas?

Raquel asintió.

—Vámonos de inmediato —dijo Raquel llenándose los bolsillos con las gominolas—. Tus hermanas esperan por ti en la olla al final del arco iris.

Raquel miró a Cristina y sonrió. Habían escapado de los duendes y rescatado a otra hada, e incluso habían estado dentro de un cuento de hadas. Ahora, solo faltaba rescatar a Violeta, el hada violeta. Las chicas estaban a punto de devolverle el color al Reino de las Hadas y cumplir su misión.

¡Solo falta un hada por rescatar!
El Reino de las Hadas nunca recuperará
los colores sin

Violeta, el hada violeta

Pero, ¿dónde está esa hada?
Únete a las aventuras de Cristina y Raquel
en este adelanto del próximo libro…

Mensaje en una cometa

—No puedo creer que este sea nuestro último día de vacaciones —dijo Raquel Walker mientras veía cómo su cometa se alzaba en el cielo azul resplandeciente.

Cristina Tate miraba la cometa color violeta que volaba por encima de la pradera al lado de la cabaña La sirena.

—Pero todavía tenemos que encontrar a Violeta, el hada violeta —dijo Raquel.

El malvado Jack Escarcha había expulsado a las hadas del arco iris del Reino de las Hadas y las había enviado a la isla Lluvia Mágica. Sin ellas, el Reino no recuperaría los colores. Cristina y Raquel habían encontrado a Rubí, Ámbar, Azafrán, Hiedra, Celeste y Tinta. Ahora solo les faltaba encontrar a Violeta, el hada violeta.

Raquel sintió que la cuerda de la cometa se había enredado. Al mirar hacia arriba, vio algo violeta y plateado que brillaba en lo alto.

—¡Mira! —gritó Raquel.

Cristina alzó la mano para tapar el sol y ver mejor.

—¿Qué es eso? ¿Será un hada? —preguntó.

—No lo sé —respondió Raquel recogiendo la cuerda de la cometa.

Mientras la cometa bajaba, Cristina notó que una cinta color violeta colgaba de la cola. Ayudó a su amiga a desamarrarla.

—Hay algo escrito en letras plateadas en esta cinta —dijo Raquel emocionada.

No te pierdas el próximo libro de la serie

Violeta, el hada violeta
para que descubras lo que está escrito
en la cinta resplandeciente.

¿Podrán Raquel y Cristina
rescatar a la última hada?